Shopkins™

Des courses de folie !

NOËL À SHOPVILLE

PRESSES AVENTURE

PRESSES AVENTURE INC.
55, rue Jean-Talon Ouest
Montréal (Québec) H2R 2W8
CANADA
groupemodus.com

Histoire d'après l'épisode *Christmas Singalong*.
© Moose, 2017

Président-directeur général : Marc G. Alain
Éditrice : Marie-Eve Labelle
Adjointe à l'édition : Vanessa Lessard
Rédactrice : Karine Blanchard
Correcteur : Jean Boilard
Infographiste : Émilie Houle

ISBN : 978-2-89751-432-7

Dépôt légal — Bibliothèque et Archives nationales du Québec, 2017
Dépôt légal — Bibliothèque et Archives Canada, 2017

Nous reconnaissons l'aide financière du gouvernement
du Québec par l'entremise du Programme de crédit d'impôt
pour l'édition de livres et du Programme d'aide aux
entreprises du livre et de l'édition spécialisée — SODEC

Financé par le gouvernement du Canada | Canada

Imprimé en Chine

NOËL À SHOPVILLE

PRESSES AVENTURE

C'est Noël à Shopville,

et il neige à plein ciel.

Hum… pas tout à fait.

Mais l'illusion est réussie.

Les Shopkins se sont rassemblés au supermarché pour chanter des cantiques et célébrer cette fête magique.

Glossy prend le micro
et entonne son solo.

Ses amis trouvent
son chant pour le moins...
mélodieux.

Tant et si bien que
Laitchouette en perd tous
ses moyens.

Sitôt la chanson terminée,
Fraisy emballe
ses cadeaux.

Chocolette essaie
bien sûr de voir
ce qui s'y cache.

«Ouste, Chocolette!
lui dit Fraisy.
Tu vas gâcher la surprise.»

Pommette, quant à elle,
décore le grand sapin.

Cooky fait sa part, et s'occupe de l'étoile. Sur une pile de cadeaux, son appui est bancal.

Ouf! L'étoile est en place, sans que Cooky ne soit tombée.

Le supermarché
brille de mille feux.
Les Shopkins
sont heureux.

Au pied du sapin, il y a

un mystérieux cadeau.

Les Shopkins s'en approchent.

Tout le monde est curieux.

Soudainement, le paquet
se met à trembler.

Les Shopkins
sont inquiets.
Que va-t-il se passer?

Dans un éclat de paillettes et de confettis, Tototte fait son entrée.

Quelle merveilleuse surprise !

Le cœur content, les Shopkins reprennent leur chant.

Glossy pousse la note...

… et tout le monde grince des dents.

Sur une note plus festive, les Shopkins te souhaitent, le cœur rempli de joie, le plus heureux Noël qui soit !